Comment vivaient-ils ?

Les Indiens d'Amérique du Nord

Philippa Wingate et Struan Reid

Illustrations : David Cuzik

Maquette : Vicki Groombridge

Expert-conseil : Michael Johnson
Directeurs de la collection : Jane Chisholm et Phil Roxbee Cox
Traduction : Nathalie Chaput

SOMMAIRE

Qui étaient les premiers habitants d'Amérique du Nord ?

Des milliers d'années avant que les premiers Européens ne débarquent en Amérique du Nord, des peuples vivaient déjà dans les pays que nous appelons aujourd'hui les États-Unis et le Canada. Eux aussi venaient d'autres contrées.

Détroit de Béring

Cette carte illustre les divers campements des premiers Nord-Américains.

Ces gens se dirigent à pied vers l'Amérique du Nord.

Le petit enfant est fatigué.

Totems

Dans cette zone bleue vivent les Indiens de la côte nord-ouest.

D'où venaient-ils ?

Ces peuples venaient du continent asiatique. Certains d'entre eux étaient venus en Amérique à pied.

Mais, il y avait l'océan ?

De nos jours, l'Asie et l'Amérique sont séparées par un bras de mer, appelé le détroit de Béring, mais à l'époque les deux continents étaient unis par un pont naturel de terre et de glace. Plus tard, l'océan en recouvrit l'accès, qui n'est dorénavant praticable qu'en bateau.

Qu'est-ce que c'est ?

On pense que ces objets appartenaient aux premiers peuples venus d'Asie qui sont arrivés en Amérique. Devine à quoi ils servaient.

Ces pointes ont été aiguisées.

Ces gens traversent le détroit dans des kayaks faits de peaux de bêtes.

Pourquoi sont-ils venus en Amérique ?

On pense qu'ils avaient faim et étaient à la recherche de nouveaux terrains de chasse. Peut-être ont-ils suivi des troupeaux d'animaux sauvages qui allaient d'un continent à l'autre. Ils se seraient alors plu sur ces terres que personne d'autre ne convoitait.

Que chassaient-ils ?

Surtout des mammouths et des mastodontes, des animaux énormes bien plus gros que des éléphants.

Ces chasseurs s'attaquent à un mammouth avec leurs lances.

Quand sont-ils arrivés en Amérique ?

Il y a probablement plus de 15 000 ans. À cette époque, la Terre était en grande partie recouverte par la neige et les glaces.

Sont-ils restés dans le Nord ?

Non, ils se sont dispersés sur tout le continent. Certains se sont installés dans le Sud, en Floride et au Mexique. D'autres ont peuplé les grandes forêts de l'Est. D'autres encore ont préféré les riches plaines du centre de l'Amérique du Nord. Quelques-uns toutefois sont restés dans le Nord et le Nord-Ouest du territoire.

Pêcheur inuit

Igloo

Les Inuits sont restés dans l'extrême Nord.

Élan

Phoque

Wigwam

Tipis

Bisons

Monticule de terre

Dans cette zone verte vivent les Indiens des forêts.

Dans cette zone jaune vivent les Indiens des plaines.

Village pueblo

Poteries en argile

Dans cette zone orange vivent les Pueblos.

3

À quoi ressemblaient-ils ?

La plupart avaient des cheveux noirs raides et des yeux foncés. Mais les tribus étaient nombreuses et toutes avaient leurs particularités. La couleur de la peau, par exemple, variait du marron clair au marron très foncé.

Se laissaient-ils pousser la barbe ?

Cela dépendait des tribus. Les Inuits, par exemple, se laissaient pousser la barbe pour se protéger du froid, tandis que les Indiens des plaines s'épilaient un maximum !

Comment se coiffaient-ils ?

Certains ornaient leurs longues tresses de fourrure ou de plumes. D'autres, en particulier dans l'Est, se rasaient la tête et ne gardaient qu'une crête de cheveux sur le crâne, comme ce Mohican.

Parka

Cet Indien arbore une coiffe ornée de deux cornes de bison.

Ce bébé inuit est bien au chaud.

Calumet

La veste de celui-ci est décorée de piquants de porc-épic.

Ce Mohican, un Indien de la forêt, a rasé son crâne des deux côtés.

Bottes en fourrure

Jambières de cuir

Ce chasseur navajo porte des bottes de cuir.

Cette Indienne des plaines transporte son bébé sur son dos dans un berceau de bois.

Ce jeune garçon est fier de sa nouvelle coiffe.

Cette Indienne porte une robe faite dans de la peau d'élan.

Ces chaussures de cuir s'appellent des mocassins. Selon les tribus, ils sont décorés différemment.

Comment s'habillaient-ils ?

Selon l'endroit où ils vivaient, ils s'habillaient différemment. Les Inuits de l'extrême Nord revêtaient des manteaux chauds en peau de phoque, les parkas. Les Indiens des plaines et des forêts portaient longues robes, jambières, tuniques, pagnes et ceintures de cuir. Pour les occasions spéciales, ils décoraient leurs habits de motifs peints, de piquants de porc-épic, de perles et de crins de chevaux.

4 *Les Indiens pueblos s'habillent avec des vêtements de coton ou de laine.*

Comment confectionnaient-ils leurs vêtements de cuir ?

Ils étiraient la peau de l'animal mort sur le sol et la grattaient pour enlever tous les restes de chair ou de poils. Puis ils la frottaient avec une pâte faite à partir de foies et de cervelles d'animaux. Cela adoucissait la peau et l'empêchait de pourrir. Pour des vêtements spéciaux, les femmes mâchaient la peau afin qu'elle soit encore plus souple.

Piquants de porc-épic

Franges de crins de chevaux

Cette Indienne gratte une peau d'élan pour la nettoyer.

Cette tunique a été teinte et décorée de perles.

Piquets de bois

La peau a une forte odeur.

Celle-ci coud une tunique de cuir. Elle aime son travail.

Portaient-ils des bijoux ?

Les hommes et les femmes se paraient d'ornements pour être beaux mais aussi pour montrer leur rang dans la tribu. Les boucles d'oreilles et les bracelets de coquillages, de piquants de porc-épic et de perles étaient très prisés. Certains chasseurs portaient des colliers faits de dents ou de griffes d'animaux, qu'ils avaient tués.

Collier en os

Coquillages

Collier fait de griffes d'ours

Bracelets

Le savais-tu ?

Les Inuits portaient des lunettes de soleil ! Elles étaient en bois et ne comportaient qu'une mince fente, comme celles ci-dessous.

Lunettes de soleil inuits

Une turquoise (pierre de couleur bleue)

Plumes

Anneaux pour le nez, portés par les hommes

Construisaient-ils des villes ?

Quelques-unes des premières villes d'importance en Amérique du Nord ont été construites par des tribus qui habitaient dans les forêts de l'est du pays il y a environ 3 000 ans.

À quoi ressemblaient ces villes ?

Au centre, il y avait de gros monticules de terre aplatis (les *mounds*). Ils étaient entourés de nombreuses maisons et de champs cultivés.

La plus grande de ces villes s'appelait Cahokia. Elle était constituée d'une centaine de monticules de terre.

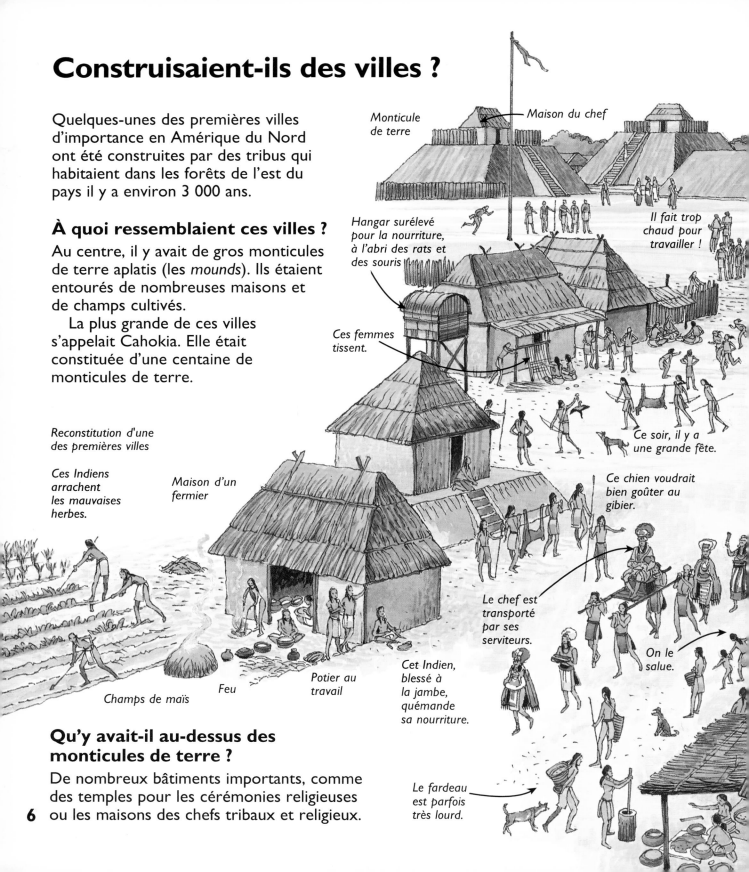

Monticule de terre

Maison du chef

Hangar surélevé pour la nourriture, à l'abri des rats et des souris

Il fait trop chaud pour travailler !

Ces femmes tissent.

Ce soir, il y a une grande fête.

Reconstitution d'une des premières villes

Ces Indiens arrachent les mauvaises herbes.

Maison d'un fermier

Ce chien voudrait bien goûter au gibier.

Le chef est transporté par ses serviteurs.

On le salue.

Champs de maïs

Feu

Potier au travail

Cet Indien, blessé à la jambe, quémande sa nourriture.

Le fardeau est parfois très lourd.

Qu'y avait-il au-dessus des monticules de terre ?

De nombreux bâtiments importants, comme des temples pour les cérémonies religieuses ou les maisons des chefs tribaux et religieux.

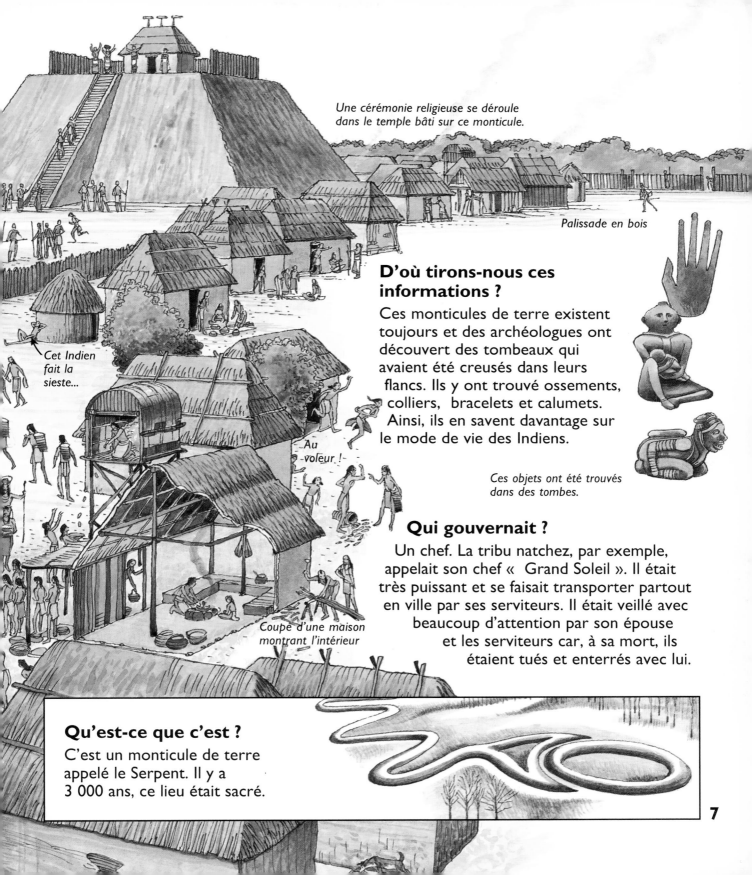

Une cérémonie religieuse se déroule dans le temple bâti sur ce monticule.

Palissade en bois

Cet Indien fait la sieste...

Au voleur !

Coupe d'une maison montrant l'intérieur

D'où tirons-nous ces informations ?

Ces monticules de terre existent toujours et des archéologues ont découvert des tombeaux qui avaient été creusés dans leurs flancs. Ils y ont trouvé ossements, colliers, bracelets et calumets. Ainsi, ils en savent davantage sur le mode de vie des Indiens.

Ces objets ont été trouvés dans des tombes.

Qui gouvernait ?

Un chef. La tribu natchez, par exemple, appelait son chef « Grand Soleil ». Il était très puissant et se faisait transporter partout en ville par ses serviteurs. Il était veillé avec beaucoup d'attention par son épouse et les serviteurs car, à sa mort, ils étaient tués et enterrés avec lui.

Qu'est-ce que c'est ?

C'est un monticule de terre appelé le Serpent. Il y a 3 000 ans, ce lieu était sacré.

7

Comment étaient leurs habitations ?

Elles variaient selon l'endroit où ils vivaient. Les Inuits taillaient des igloos dans la glace. Ils utilisaient aussi la pierre, la terre et les côtes de baleine. Les tribus des forêts employaient l'écorce d'arbre. Les Indiens des plaines habitaient des tentes, les tipis.

Cet igloo est fait de blocs de glace colmatés avec de la neige.

Il fait bon dans l'igloo.

Lampe à huile

Peaux de bêtes

Fenêtre taillée dans la glace

Cette hutte est en écorce de bouleau.

L'igloo a été découpé pour que tu puisses voir à l'intérieur.

Cette maison en bois de la côte nord-ouest de l'Amérique du Nord a été peinte de couleurs vives.

L'entrée est souterraine pour empêcher l'air froid de s'infiltrer.

Paillasson

Couchette

Il faut parfois colmater les trous avec de la neige.

Cet Inuit vérifie que ses chiens ne se sont pas enfuis...

... mais les chiens n'ont pas l'intention de bouger.

Faisait-il sombre à l'intérieur des maisons ?

Oui, leur intérieur était très sombre malgré le feu qui brûlait pour fournir chaleur et lumière.

Les Inuits faisaient brûler de la graisse de baleine dans des lampes et taillaient des fenêtres dans des blocs de glace transparents.

Décoraient-ils leurs habitations ?

Certaines étaient décorées de motifs ou encore de dessins d'animaux qui représentaient des esprits supposés protéger leurs habitants.

Sur les murs intérieurs, ils accrochaient parfois des armes, des masques de cérémonie ou encore des tapis. Toutefois, il y avait très peu de meubles.

8

Quelle est la différence entre un tipi et un wigwam ?

Un tipi est une tente faite de poteaux de bois recouverts de peaux de bêtes. Facile à démonter, elle se remontait très vite. Quand une tribu partait, les chevaux tiraient les poteaux de bois. Un wigwam est semblable à un tipi mais il est recouvert d'écorces d'arbres et non pas de peaux.

Y avait-il des toilettes ?

Non, on allait dehors et ce n'était pas drôle en plein hiver !

Les motifs dessinés sur ce tipi indiquent que cette famille appartient à la tribu cheyenne.

La porte d'un tipi fait toujours face au soleil levant, à l'est.

Siège fait en baguettes de saule pour reposer son dos

Un tout jeune explorateur !

En général, ce sont les femmes qui montent la tente.

Pour chaque tipi, il faut douze longs poteaux de bois.

Les poteaux sont assemblés en cône.

Il faut environ quinze peaux de bisons cousues ensemble pour recouvrir un tipi.

Les peaux sont étirées par-dessus les poteaux.

Trou par lequel s'échappe la fumée.

Ce tipi a été peint avec des teintures de couleurs vives.

Dérouler les peaux de bisons n'est pas toujours facile.

Le savais-tu ?

Les Indiens allaient au sauna. Sorte de cabane dans laquelle on chauffait des pierres qu'on aspergeait ensuite d'eau pour faire de la vapeur, la « loge à sudation » permettait de suer et d'éliminer sa graisse et sa crasse.

Deux Indiens au sauna

9

Qu'est-ce qu'une tribu ?

C'est un groupe de personnes vivant ensemble. Les Inuits vivaient en petits groupes familiaux. La tribu des Sioux des Grandes Plaines comptait des milliers de membres, rassemblés en groupes de trois cents personnes environ.

Les membres de cette tribu iroquoise se rassemblent pour un Powwow.

Ces Indiennes préparent à manger pour le grand rassemblement.

Ce jeune Indien ne peut attendre !

Y avait-il des rois ?

Non, mais il y avait des chefs, choisis pour leur bravoure et leur sagesse. Certains étaient très puissants : c'étaient eux qui décidaient s'il fallait faire la guerre ou s'en aller. D'autres, de moindre importance, donnaient des conseils sur les cultures ou sur la chasse.

Les chefs se racontent les événements écoulés.

Les chasseurs ont tué une biche.

Ces chefs échangent des cadeaux.

Y avait-il un gouvernement ?

Pas vraiment, mais dans certaines tribus, comme celle des Iroquois, un conseil composé de sages se réunissait pour prendre les décisions importantes. Il y avait aussi des règles très strictes concernant la chasse, la guerre et la religion. Tous devaient s'y conformer.

Qu'est-ce qu'un Powwow ?

Tous les étés, une assemblée, le Powwow, réunissait les membres des plus grandes tribus. Les chefs y racontaient les événements de l'année écoulée. Au cours d'un Powwow, il y avait des compétitions de sports, des danses et des cérémonies religieuses accomplies par des chamans (sorciers).

Qui étaient les chamans ?

C'étaient des membres importants de la tribu. Ils menaient les cérémonies religieuses et soignaient les blessés et les malades avec des médicaments à base de plantes et des incantations magiques. On les reconnaissait à leur petit sac rempli d'objets supposés leur donner le pouvoir de guérison.

Sacs à médecine

Crâne

Gingembre (contre les fièvres)

Graines

Eupatoire (pour les coups de froid)

Calumet de chaman

Ciguë officinale (contre les douleurs et les spasmes)

Cet Indien a de la fièvre.

Le chaman tente de le guérir en agitant une crécelle.

On joue à se poursuivre.

Sa mère est inquiète.

Ces Indiens se préparent pour la danse.

Y avait-il des policiers ?

Les guerriers, un peu comme les policiers, étaient chargés de capturer et de punir ceux qui avaient commis un crime contre la tribu.

Quelles étaient les punitions ?

L'indifférence : on ne devait ni parler aux criminels ni même les regarder. Les chefs de certaines tribus jugeaient eux-mêmes les meurtriers, comme ci-dessous, avec l'aide du conseil. Le coupable devait alors s'éloigner, et quatre guerriers cherchaient à l'abattre avec des flèches.

Le savais-tu ?

On ne donnait pas toujours un nom au nouveau-né. On le surnommait Longues Oreilles ou Yeux Clairs. Plus tard, on lui donnait parfois un autre nom qui correspondait à un événement de sa vie, comme *Celui-qui-a-tué-deux-aigles* ou *Celui-qui-a-eu-peur-d'un-ours*.

Cet homme a été pris alors qu'il volait.

Le chef va décider de sa punition.

Parlaient-ils tous la même langue ?

Non, il existait environ un millier de langues différentes. Mais les Indiens connaissaient d'autres moyens de communiquer entre tribus : ils utilisaient le langage des signes, dont tu vois quelques exemples ci-dessous.

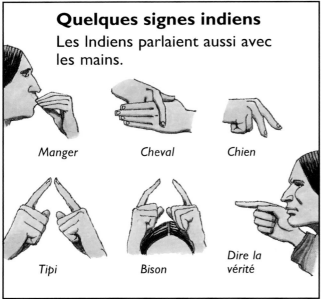

Quelques signes indiens

Les Indiens parlaient aussi avec les mains.

Manger

Cheval

Chien

Tipi

Bison

Dire la vérité

Savaient-ils lire et écrire ?

Non, mais certaines tribus utilisaient une sorte d'écriture picturale pour rapporter les grandes batailles et les expéditions de chasse couronnées de succès. Ils dessinaient sur les peaux de bêtes.

Voici quelques symboles de cette écriture picturale :

Un tipi avec deux flèches : c'est un village où tous les habitants ont été massacrés.

Dessin dans une histoire racontant comment un homme a volé trente poneys tachetés.

Ce dessin représente un chef indien avec une plume et un calumet.

Et les signaux de fumée ?

Les Indiens utilisaient effectivement la fumée pour avertir d'un danger les tribus éloignées. Ils couvraient le feu avec une couverture puis l'enlevaient de façon à créer des signaux avec la fumée.

Ils envoyaient aussi des messages en faisant miroiter des pièces de métal brillant au soleil. Les chasseurs laissaient également des traces de leur passage en disposant des bâtons ou des pierres sur le sol.

Ces Indiens suivent la chasse en se guidant sur les signaux laissés à leur intention.

Ce chien est impatient de suivre les traces.

Cette femme croit reconnaître des traces.

Ces signes indiquent la direction prise par les chasseurs.

Cet Indien fait miroiter une pièce de métal au soleil.

Comment se déplaçaient-ils ?

Principalement à pied. Ils n'avaient jamais vu de chevaux avant que les Européens ne les amènent avec eux. Les Indiens se sont révélés alors d'excellents cavaliers. Les Sioux appelaient les chevaux *shunka wakan*, « chiens sacrés ».

Certaines tribus se servaient de chevaux et de chiens pour tirer les « travois », des traîneaux constitués de deux poteaux de tipi assemblés.

Travois tiré par un cheval

Petit travois tiré par un chien

Poteaux de tipi

Lourd chargement

Raquettes

Ces Inuits ont déposé leurs lourds chargements sur des traîneaux de bois.

Ce chien aimerait bien être équipé de raquettes !

Cette petite fille marche facilement sur la neige grâce à ses raquettes.

Avaient-ils des chariots ?

Non. Les chariots avancent grâce à des roues et ils ne connaissaient pas la roue. La plupart portaient leurs affaires sur le dos. Dans l'extrême Nord, pour se déplacer sur la neige, les Inuits se servaient de traîneaux tirés par des chiens.

Et les bateaux ?

Ils n'avaient pas de gros bateaux mais ils utilisaient des canoës, qu'ils construisaient avec du bois et de l'écorce. Ils les décoraient ensuite en sculptant ou dessinant des animaux.

C'est au tour de cet Indien de tirer le canoë sur la rive.

Ces canoës sont en peau de bête. Ils ont été peints.

Ils se servent de pagaies pour faire avancer le canoë.

Est-ce qu'ils disaient vraiment « Hugh ! » ?

Certains Indiens des plaines saluaient les étrangers en disant *Hau kola*, ce qui signifie « Bonjour, l'ami ». Les Européens qui sont allés en Amérique du Nord l'ont transformé en « Hugh ».

13

Que chassaient-ils ?

Cela dépendait de l'endroit où ils vivaient. Le gibier variait selon les régions. Les Indiens des plaines, par exemple, chassaient surtout le bison. Les chasseurs devaient se préparer longtemps avant la chasse.

Que faisaient-ils ?

Ils exécutaient la danse du Bison : certains danseurs se couvraient la tête d'un masque de bison tandis que d'autres faisaient semblant de les tuer. Pour eux, c'était une façon de conjurer le mauvais sort.

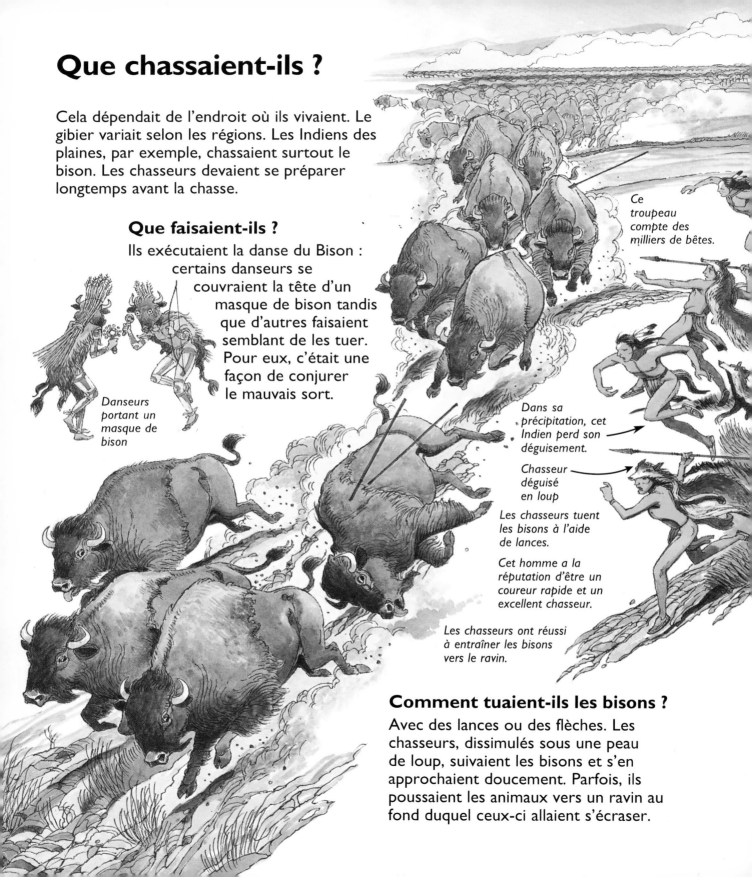

Danseurs portant un masque de bison

Ce troupeau compte des milliers de bêtes.

Dans sa précipitation, cet Indien perd son déguisement.

Chasseur déguisé en loup

Les chasseurs tuent les bisons à l'aide de lances.

Cet homme a la réputation d'être un coureur rapide et un excellent chasseur.

Les chasseurs ont réussi à entraîner les bisons vers le ravin.

Comment tuaient-ils les bisons ?

Avec des lances ou des flèches. Les chasseurs, dissimulés sous une peau de loup, suivaient les bisons et s'en approchaient doucement. Parfois, ils poussaient les animaux vers un ravin au fond duquel ceux-ci allaient s'écraser.

Il faut rassembler les bêtes mortes...

... et les découper.

Comment conservaient-ils la viande ?

Quand il restait un peu de viande, les femmes la découpaient en quartiers et l'exposaient à la fumée ou la suspendaient dehors au soleil pour la faire sécher. Parfois, elles la mélangeaient avec des fruits secs pour préparer un plat savoureux, le *pemmican*.

Que chassait-on à part le bison ?

Les tribus des forêts chassaient le caribou, le cerf, le castor et l'ours. Parfois, un chasseur réussissait à s'approcher en canoë d'un animal en train de se désaltérer et à le tuer. Dans le Nord, les Inuits chassaient phoque et baleine. Pour pêcher, ils perçaient la glace.

Harponneur chanceux

Chasseur affamé

Élan assoiffé

Le savais-tu ?

Avant que le premiers Européens n'apportent des pots en métal, les tribus sioux faisaient cuire leurs aliments dans des panses de bisons.

Panse de bison

Que mangeaient-ils d'autre ?

Les tribus sédentaires (qui restaient dans la même région) cultivaient des citrouilles et des artichauts et surtout du blé et du maïs.

Les tribus nomades (qui se déplaçaient souvent) chassaient et se nourrissaient de plantes sauvages, tels navets, oignons, cerises, prunes, baies et herbes.

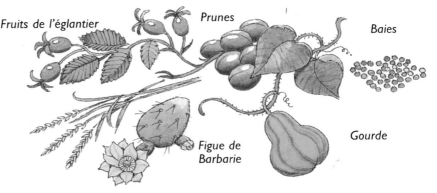

Fruits de l'églantier

Prunes

Baies

Figue de Barbarie

Gourde

Où faisaient-ils leurs courses ?

Les magasins n'existaient pas, mais on venait de loin pour se réunir dans un même lieu où acheter et vendre des marchandises. On échangeait un bien contre un autre : c'est le troc. Certaines tribus des forêts payaient en *wampum*, un coquillage.

Commerçaient-ils avec les Blancs ?

Quand les Européens ont débarqué en Amérique du Nord (voir page 26), de nombreuses tribus ont commercé avec eux.

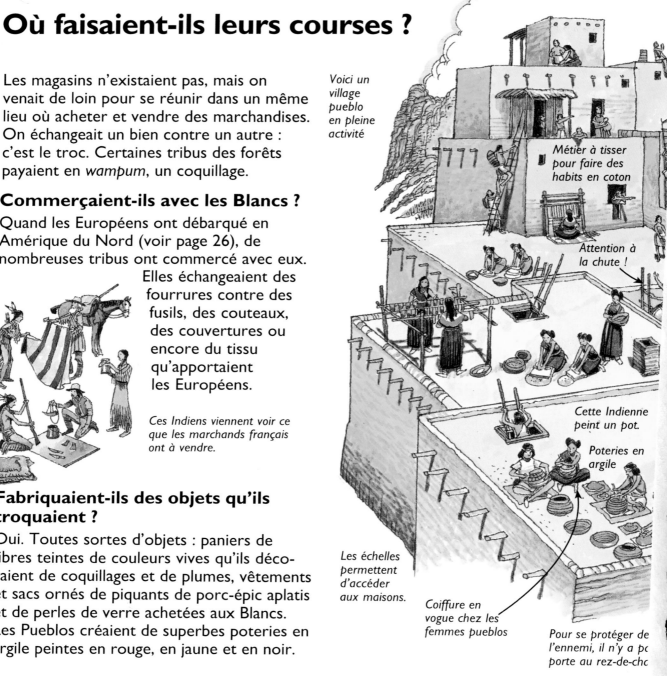

Voici un village pueblo en pleine activité

Métier à tisser pour faire des habits en coton

Attention à la chute !

Cette Indienne peint un pot.

Poteries en argile

Les échelles permettent d'accéder aux maisons.

Coiffure en vogue chez les femmes pueblos

Pour se protéger de l'ennemi, il n'y a pa[s] porte au rez-de-cha[...]

Elles échangeaient des fourrures contre des fusils, des couteaux, des couvertures ou encore du tissu qu'apportaient les Européens.

Ces Indiens viennent voir ce que les marchands français ont à vendre.

Fabriquaient-ils des objets qu'ils troquaient ?

Oui. Toutes sortes d'objets : paniers de fibres teintes de couleurs vives qu'ils décoraient de coquillages et de plumes, vêtements et sacs ornés de piquants de porc-épic aplatis et de perles de verre achetées aux Blancs. Les Pueblos créaient de superbes poteries en argile peintes en rouge, en jaune et en noir.

Exemples de poteries en argile et de sacs en cuir faits par les Indiens.

Cet oiseau taillé dans du bois servait de leurre pour chasser.

Ce sac utilisé pour transporter de la nourriture est décoré de piquants de porc-épic.

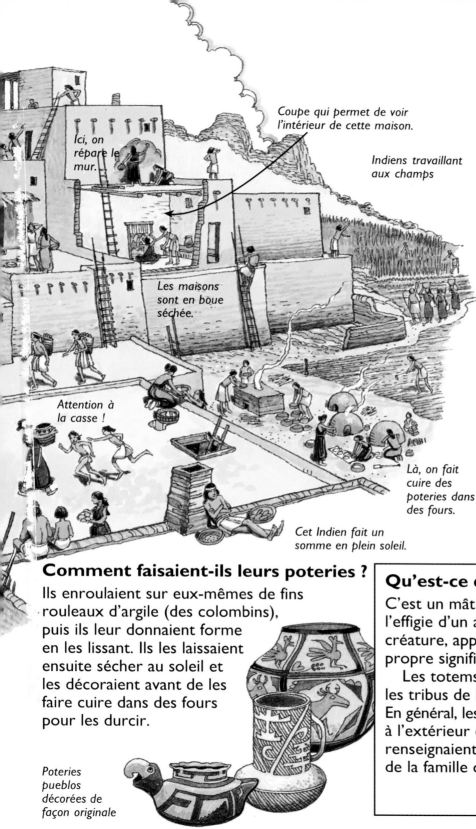

Coupe qui permet de voir l'intérieur de cette maison.

Ici, on répare le mur.

Les maisons sont en boue séchée.

Indiens travaillant aux champs

Attention à la casse !

Là, on fait cuire des poteries dans des fours.

Cet Indien fait un somme en plein soleil.

Sur le haut de ce totem, on a gravé un Corbeau.

Au-dessous, on a sculpté un monstre : les Indiens croyaient qu'il vivait sous l'eau et avalait tous les canoës qui passaient à sa portée.

Voici le totem Aigle. De nombreuses tribus racontaient l'histoire d'un homme qui nourrissait les aigles et qui, en retour, était protégé par eux.

Voici le totem Hibou. On disait qu'une femme avait été transformée en hibou parce qu'elle était égoïste.

Le Castor de ce totem tient entre ses pattes un bâton qu'il mord.

Comment faisaient-ils leurs poteries ?

Ils enroulaient sur eux-mêmes de fins rouleaux d'argile (des colombins), puis ils leur donnaient forme en les lissant. Ils les laissaient ensuite sécher au soleil et les décoraient avant de les faire cuire dans des fours pour les durcir.

Poteries pueblos décorées de façon originale

Qu'est-ce qu'un totem ?

C'est un mât en bois sculpté à l'effigie d'un animal. Chaque créature, appelée un totem, a sa propre signification ou histoire.

Les totems étaient sculptés par les tribus de la côte nord-ouest. En général, les mâts étaient dressés à l'extérieur de la maison : ils renseignaient ainsi sur l'histoire de la famille qui l'habitait.

Au bas de ce totem, on a gravé un Loup.

17

Quelles étaient leurs distractions ?

Comme nous, les Indiens aimaient pratiquer un sport, jouer, chanter, danser ou encore raconter des histoires. Même si leur vie était dure, ils trouvaient toujours un moment pour s'amuser, comme on te le montre ci-dessous.

Pariaient-ils ?

Oui, ils pariaient à tout propos : sur le vainqueur d'une course de chevaux, sur l'équipe sportive gagnante et même sur le meilleur lanceur.

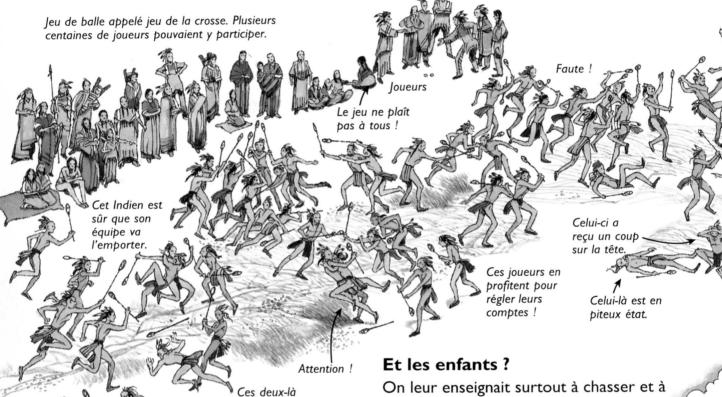

Jeu de balle appelé jeu de la crosse. Plusieurs centaines de joueurs pouvaient y participer.

Joueurs

Le jeu ne plaît pas à tous !

Faute !

Cet Indien est sûr que son équipe va l'emporter.

Celui-ci a reçu un coup sur la tête.

Ces joueurs en profitent pour régler leurs comptes !

Celui-là est en piteux état.

Attention !

Ces deux-là ne sont pas d'accord sur les règles.

Parfois, les joueurs oublient qu'ils jouent.

Et les enfants ?

On leur enseignait surtout à chasser et à se battre. Les garçons apprenaient à monter à cheval sur des chevaux de bois. En hiver, ils fabriquaient des luges et allaient se promener dans la neige.

Canards sculptés dans des défenses de morse

Grâce à un anneau, les garçons apprennent à viser juste.

Quels sports pratiquaient-ils ?

Course à cheval, concours de tir à l'arc, jeux de ballon, etc. Les tribus des forêts pratiquaient un jeu de balle connu de nos jours sous le nom de jeu de la crosse : les joueurs devaient lancer une balle en peau de daim entre deux poteaux avec une raquette à long manche (la crosse).

Lisaient-ils des histoires ?

Il n'y avait pas de livres, mais on se racontait des histoires. C'était un moyen essentiel de se transmettre des informations sur une tribu et ses coutumes. Beaucoup d'histoires enseignaient aux enfants à respecter nature et animaux.

Ce joueur se trompe de camp !

Poteaux du but

1. Cet Indien déguisé entre d'un bond dans le danse de l'Aigle.

2. Il tourne et tourne encore.

Et la danse ?

Ils aimaient beaucoup danser, entre autres lors de cérémonies religieuses. Les danseurs des tribus pueblos attachaient des grelots à leurs jambes. Les Indiens des plaines dansaient pour honorer les esprits.

4. Puis tombe par terre et agonise comme un aigle abattu.

3. Il s'élance.

Aimaient-ils la musique ?

Oui. Bien sûr, CD et cassettes n'existaient pas, mais les Indiens faisaient leur propre musique en frappant en rythme sur des tambours ou en secouant des crécelles. Celles-ci étaient fabriquées dans des coques de fruits séchées et remplies de cailloux et de graines, ou dans des carapaces de tortues. Certaines tribus jouaient avec des flûtes et des sifflets en bois ou en os.

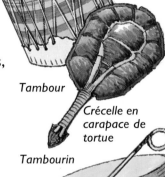

Tambour

Crécelle en carapace de tortue

Tambourin

Hochet de crins de cheval

Flûte

Maracas

Le savais-tu ?

Plutôt que de se battre, deux Inuits en colère s'insultaient en chansons. C'était au public de décider lequel des deux avait été le plus offensant ; il était désigné vainqueur.

Cet Inuit est vraiment injurieux.

Celui-ci rougit.

Croyaient-ils en Dieu ?

Les Indiens d'Amérique du Nord croyaient que toute chose dans le monde avait une âme ou un esprit. Les esprits étaient très puissants. Ils pouvaient aider les êtres humains ou leur faire du mal. On les traitait donc avec respect.

Où vivaient ces esprits ?

Les esprits les plus importants, les Esprits Sacrés, vivaient au-dessus du ciel. Les autres peuplaient les cours d'eau, les montagnes, les arbres et les lacs. Les esprits se déplaçaient sur les rayons de soleil, les arcs-en-ciel ou les éclairs.

Parfois, les Indiens portaient des masques comme ceux-ci pour ressembler à des esprits.

Ce masque, provenant de la côte nord-ouest de l'Amérique du Nord, symbolise l'esprit de l'oiseau Nootka.

Les diverses tribus vénéraient-elles les mêmes esprits ?

Non. Les Apaches croyaient en un esprit appelé la Femme Changeante, qui avait créé les hommes et leur enseignait de vivre en paix. Les Sioux priaient le Wakan Tanka, un esprit qui contrôlait tout autour d'eux. De nombreuses tribus, toutefois, adoraient l'Oiseau-Tonnerre. Tu trouveras une histoire sur cet oiseau page 31.

L'Oiseau-Tonnerre

C'est un esprit qui a la forme d'un grand oiseau. Lorsqu'il bat des ailes, on entend le tonnerre et lorsqu'il ouvre et ferme ses yeux, on voit des éclairs. Voici comment faire un mobile Oiseau-Tonnerre.

2. Peins l'oiseau des deux côtés.

1. Dessine cette forme sur un morceau de carton. Découpe-la.

3. Suspends l'oiseau à un fil.

Y avait-il des cérémonies religieuses ?

Beaucoup. Au cours de l'année, les Indiens remerciaient les esprits en se parant de costumes spéciaux, en peignant leurs habits et leur corps et en exécutant des danses particulières.

Ces trois Indiens exécutent la danse des Esprits de la Montagne.

Que sont les danses de la Pluie ?

Les tribus pueblos exécutaient ces danses pour demander aux esprits de faire pleuvoir sur leurs cultures. Il y avait aussi la danse du Soleil : les Indiens des plaines s'enfonçaient sous la poitrine des petites chevilles reliées par des cordes à un poteau. Ignorant la douleur, ils dansaient jusqu'à épuisement.

Croyaient-ils aux revenants ?

Oui. Ils croyaient que le fantôme de quelqu'un qu'ils avaient mis en colère viendrait les hanter. Parfois, on détruisait la maison d'un mort pour qu'il ne revienne pas la hanter.

Ces Indiens soufflent dans des sifflets faits dans des os d'aigle.

Crâne de bison

Cet homme aime le son de sa voix.

Jeunes guerriers qui exécutent la danse du Soleil dans une loge.

Les danseurs tiennent une plume d'aigle dans chaque main.

De petites chevilles perforent leurs poitrines.

Celui-ci se sent fatigué.

Chanteurs

Cet Indien appelle les esprits.

Cette Indienne détourne son regard à la vue du sang.

Avaient-ils une armée ?

Non, mais dans chaque tribu il y avait des guerriers, les Braves, qui devaient se battre pour le village et le protéger.

On faisait la guerre pour des chevaux ou des terrains de chasse. Plus tard, quand les Européens sont venus en Amérique du Nord et ont commencé à s'approprier les terres des Indiens, les Braves ont essayé de les en empêcher.

Camp de la tribu crow

À l'attaque !

Guerriers sioux qui attaquent une tribu crow qui leur a volé des chevaux.

Voici un bâton-à-coup

Ce Brave ne se sent pas très brave !

Cet Indien est un bon cavalier. Il peut monter sans selle.

Ce cheval est peint pour la guerre.

Avaient-ils des fusils ?

Non, pas avant que les Européens en apportent. La plupart des guerriers se servaient d'arcs en bois et de flèches. Regarde attentivement ces pages et tu verras des lances, des couteaux, des massues et une sorte de hache, le tomahawk.

Carquois et flèches

Arc

Tomahawk

Casse-tête

Lance

Le bâton-à-coup

Les Indiens pensaient que donner un coup à un adversaire avec un bâton et lui voler ses armes étaient un acte de bravoure plus grand que celui de le tuer.

Bâton-à-coup sioux

Calumet de la paix

Les Braves scalpaient-ils leurs ennemis ?

Oui, ils avaient en effet cette coutume horrible ! Parfois, un guerrier cousait un scalp à sa tunique de guerre pour montrer à ses compagnons combien il avait été vaillant.

Ces guerriers montent et tirent en même temps.

Se peignaient-ils le corps ?

Oui, ils se peignaient le corps mais ils décoraient aussi leurs chevaux et leurs armes de motifs de couleurs vives. Ils pensaient que ces peintures de guerre les protégeraient.

Exécutaient-ils vraiment des danses de la Guerre ?

Oui, avant et après une bataille. Ils demandaient aux esprits de leur accorder du courage et ils célébraient les victoires.
Quand la paix était déclarée, ils fumaient le calumet, pensant que la fumée emportait leurs prières jusqu'aux esprits.

Ce vieux guerrier arbore une coiffe de guerre imposante.

Cet Indien se sert de son tomahawk.

Voici un cheval pacifiste. Il rentre chez lui.

Ce guerrier va se faire scalper.

Récompensait-on la bravoure ?

Pas vraiment, mais les guerriers sioux recevaient des plumes d'aigles. Certains portaient des coiffes à plusieurs plumes (jusqu'à cent).

Voici quelques Braves et leurs coiffes de guerre

Un point : il a tué un ennemi.

Il a été blessé plusieurs fois.

Il a pris un scalp.

Il a bien travaillé !

23

Qui étaient les premiers explorateurs européens ?

Un groupe venu de Scandinavie, les Vikings. Ils ont débarqué en Amérique du Nord il y a environ mille ans.

On a longtemps cru que l'Italien Christophe Colomb avait été le premier Européen à découvrir l'Amérique. C'est faux, on sait maintenant que les Vikings l'avaient explorée cinq cents ans plus tôt !

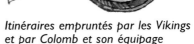

Itinéraires empruntés par les Vikings et par Colomb et son équipage

Navire viking voguant vers l'Amérique

Ce marin dirige son navire grâce à une large rame.

Où les Vikings ont-ils débarqué ?

Les Vikings sont arrivés à l'anse aux Meadows, un lieu qui se situe sur l'île de Terre-Neuve, au Canada.

On sait cela grâce aux archéologues qui y ont découvert de nombreux vestiges de maisons vikings.

Le chef

Pourquoi les Vikings sont-ils allés là-bas ?

En réalité, le premier Viking qui a vu l'Amérique du Nord avait été détourné de sa route par une tempête terrible. Il pensait débarquer au Groenland.

Quand il a raconté ce qu'il avait découvert aux Vikings installés au Groenland, certains ont décidé de partir explorer ce nouveau pays.

Les Vikings sont-ils restés en Amérique ?

Pas longtemps, car bientôt des conflits ont éclaté entre eux et les Indiens, et les Vikings ont finalement décidé de repartir chez eux.

Ces Braves poursuivent un groupe de colons vikings.

Qui était Christophe Colomb ?

En 1492, ce navigateur génois est parti d'Espagne avec trois caravelles. Il a fait route vers l'ouest, car il cherchait à découvrir la Chine. Quand on a crié « terre ! », il a cru, à tort, qu'il était dans l'océan Indien.

Où se trouvait-il en réalité ?

Il approchait des Bahamas, un groupe d'îles situées au large de la côte américaine. Colomb est célèbre, car il a ouvert la route à beaucoup d'autres Européens qui se sont installés ensuite sur ce nouveau continent.

Colomb et son équipage débarquent sur les plages des Bahamas.

La caravelle de Colomb s'appelle la « Santa Maria ».

Quelques Indiens curieux s'avancent en canoë près des navires.

La « Niña »

La « Pinta »

Drapeau espagnol

Soldat prêt pour le combat

Ce soldat aimerait faire demi-tour.

Christophe Colomb

Les femmes ont apporté à manger aux visiteurs.

Celui-ci n'est pas intéressé par les visiteurs.

D'où vient le nom de Peaux-Rouges ?

Les premiers Européens à visiter l'Amérique du Nord ont rencontré des Indiens de Terre-Neuve qui enduisaient leur corps et leurs habits d'une teinture rouge vif. Ils les ont appelés Peaux-Rouges.

Indiens au corps peint

Qui étaient les premiers colons européens ?

La vigie

Un chapeau qui s'envole.

Des gens venus de toute l'Europe ont débarqué en Amérique du Nord environ cent ans après Colomb et se sont installés sur la côte est.

Cette femme ne se sent pas bien.

Un homme à la mer !

Ce passager clandestin se cache derrière des barils.

Provisions de nourriture

Pourquoi sont-ils allés en Amérique ?

Ils pensaient que la vie y serait meilleure. Certains étaient des fermiers en quête de terres à cultiver pour leur compte. D'autres, les plus nombreux, étaient persécutés dans leur pays pour leurs convictions religieuses. Parmi eux, il y avait les « Pères pèlerins ».

Cette femme a bien du mal à faire la cuisine.

Les passagers en famille dorment dans la cale.

Les rats aussi ont un coin où dormir !

Cet homme rêve à un lopin de terre sec.

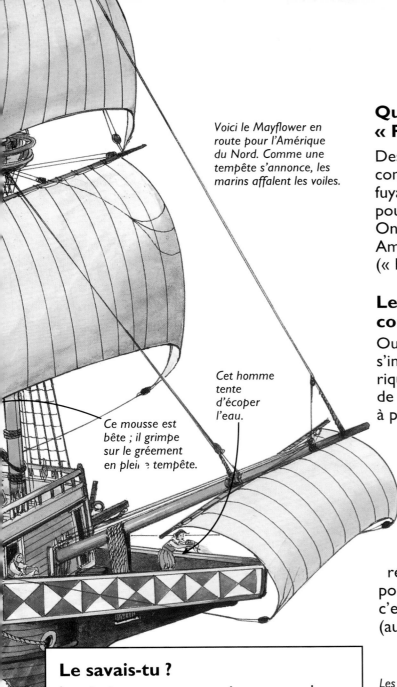

Voici le Mayflower en route pour l'Amérique du Nord. Comme une tempête s'annonce, les marins affalent les voiles.

Cet homme tente d'écoper l'eau.

Ce mousse est bête ; il grimpe sur le gréement en pleine tempête.

Qui étaient les « Pères pèlerins » ?

Des membres d'une communauté religieuse qui fuyaient la Grande-Bretagne où ils ne pouvaient pas pratiquer librement leur religion. On les appelait les Puritains. Ils ont émigré en Amérique sur un bateau baptisé *Mayflower* (« Fleur de Mai ») et ils ont fondé une ville.

Les Puritains ont-ils eu des contacts avec les Indiens ?

Oui. Certaines tribus ont aidé les Pèlerins à s'installer. Durant leur premier hiver en Amérique, beaucoup de colons sont en effet morts de faim. Les Indiens ont appris aux survivants à planter du maïs, à chasser et à pêcher.

Les Pèlerins ont-ils survécu à l'hiver ?

Presque la moitié d'entre eux sont morts, mais les autres ont fait une grande fête pour remercier leurs amis Indiens. Ils ont fait du pain avec la farine de leur première récolte de maïs. Chaque année depuis, on a pour tradition de célébrer cet événement : c'est le *Thanksgiving Day* (au mois de novembre).

Le savais-tu ?

Les émigrants ont amené avec eux des maladies infectieuses inconnues des Indiens d'Amérique, comme la rougeole et la grippe. Elles les ont rendus très malades ; certaines tribus ont été presque entièrement décimées.

Les habits des Pèlerins sont très sobres.

Les Indiens apportent un cerf pour la fête.

Les Européens sont-ils restés ?

Oui. D'autres, de plus en plus nombreux, les ont ensuite rejoints. Tous ces colons ont bâti des fermes et des villes, et se sont emparés de vastes étendues, qu'ils ont clôturées. Plus tard, ils ont même construit une ligne de chemin de fer qui traversait les Grandes Plaines d'Amérique. Les Indiens les appelaient les Blancs.

Les Blancs achetaient-ils leurs terres aux Indiens ?

Certains ont essayé. Mais, pour les Indiens, la terre est comme l'air ou l'eau, elle n'est à personne. Ils ne pouvaient donc vendre ce qui ne leur appartenait pas.

   La plupart des colons prenaient simplement les terres qu'ils voulaient.

Les Indiens se sont-ils opposés aux Blancs ?

Oui. Ils ont décidé qu'il était temps d'empêcher les Blancs de s'approprier les territoires où ils vivaient. Des batailles se sont déroulées dans tout le continent nord-américain. Ce conflit, que le cinéma a rendu célèbre, a duré plusieurs années.

Ce fort est attaqué par des Indiens des forêts.

Ces soldats en renfort arriveront-ils à temps ?

Ce Brave est monté sur le toit pour enlever le drapeau.

D'ici, on peut tirer et être à l'abri.

Certains préfèrent boire plutôt que combattre !

Ces enfants effrayés se montrent pourtant courageux.

On a fait rouler le canon jusqu'en haut de la rampe.

Combat au corps-à-corps

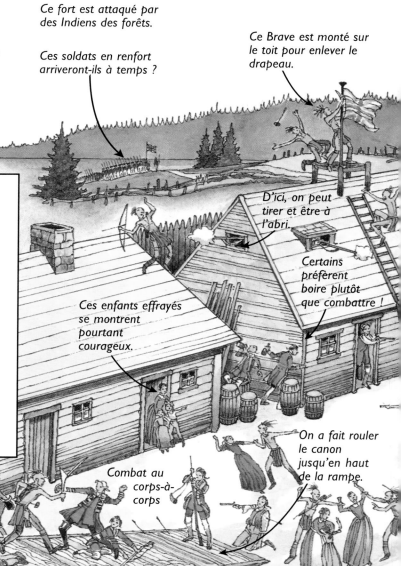

Le savais-tu ?

Les Blancs ont massacré des millions de bisons. En 1850, il y avait plus de 60 millions de bêtes. Quarante ans plus tard, il n'en restait que 550. Sans bison à chasser, de nombreuses tribus sont mortes de faim.

Chasseur blanc tirant sur un bison

Les Indiennes se battaient-elles aussi ?

Oui, dans certaines tribus, les femmes défendaient leur camp quand les hommes étaient partis au combat. Certaines femmes exécutaient la danse des Esprits pour leur demander que les Blancs s'en aillent et que les bisons reviennent.

Femmes exécutant une danse des Esprits

Qu'est-ce que c'est ?

Une tunique surnaturelle. Les guerriers croyaient que ces tuniques pouvaient les protéger des balles des Blancs. Mais lors d'une bataille, 300 Sioux ont été tués, dont certains qui portaient une tunique semblable. Les Indiens ont alors réalisé qu'ils ne pourraient jamais gagner.

Tunique surnaturelle sioux

La tour est un endroit découvert.

Les Indiens grimpent sur les murs et sur le toit des maisons.

Chambrée (coupe pour pouvoir voir l'intérieur)

Recharger son fusil prend du temps.

Cet homme est grièvement blessé.

À mesure que les Indiens passent l'entrée, ils sont descendus par les soldats.

Des Braves ont réussi à forcer l'entrée.

Qui a gagné la guerre ?

Les Blancs. En 1890, tous les Indiens d'Amérique du Nord étaient vaincus et leurs armes confisquées.

29

Qu'est-il arrivé aux Indiens ?

Il y a environ cent ans, on a rassemblé tous les Indiens pour les emmener vivre dans des territoires à part, les réserves.

Parfois, les réserves se trouvaient sur leurs propres territoires, mais certaines tribus ont été obligées de tout abandonner.

Des soldats blancs mènent une tribu vers une réserve.

À quoi ressemblaient les réserves ?

Certaines étaient situées sur de bonnes terres boisées, où les Indiens pouvaient chasser. D'autres se trouvaient sur de maigres terrains que les Blancs ne voulaient pas.

Parfois, danses et cérémonies religieuses étaient interdites. On a même défendu à certaines tribus de parler leur langue.

Cette famille a bâti sa maison avec des troncs d'arbres.

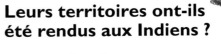

Les Black Hills

Leurs territoires ont-ils été rendus aux Indiens ?

Pas tous. Les Sioux, par exemple, réclament toujours au gouvernement américain le territoire des Black Hills (collines noires), qui se trouve dans le Dakota du Sud. Le gouvernement a offert de le leur acheter, mais pour les Sioux ces collines sacrées ne sont pas à vendre.

Vivent-ils toujours dans des réserves ?

Beaucoup d'Indiens ont décidé de rester dans les réserves, mais un grand nombre vit aussi dans les villes.

Ils habitent des maisons modernes, conduisent des voitures, font des affaires. Beaucoup toutefois assistent chaque été au Powwow : une façon de garder en vie leurs coutumes et leurs traditions.

Des membres de la tribu oglala se sont rassemblés pour le Powwow d'été.

Les spectateurs sont attentifs.

Le conducteur de cette voiture n'appréciera peut-être pas que l'on s'assoit sur le toit de son véhicule.

Le dos des danseurs est orné d'une roue faite de plumes qui symbolise le Soleil.

À la recherche de l'Oiseau-Tonnerre

Un grand nombre de totems comportent en leur sommet une sculpture qui représente un oiseau très puissant avec un bec d'aigle et des yeux perçants. Voici la légende de cet oiseau et de son totem.

Un jeune garçon du nom de Petit Nez vivait dans un village près de la mer. Il aimait beaucoup regarder les sculpteurs de totems au travail et souhaitait ardemment se joindre à eux. Mais toujours ils riaient et lui disaient : « Le jour où tu pourras sculpter l'Oiseau-Tonnerre, tu seras des nôtres. » C'était un piège, car personne n'avait jamais vu la créature qui était la cause du bruit du tonnerre. Petit Nez décida pourtant de partir à la recherche de l'Oiseau-Tonnerre.

Il embarqua sur son canoë. Une fois, il entendit le tonnerre au-dessus de lui, mais avant qu'il pût l'atteindre, le bruit se fit de nouveau entendre plus loin. Il avait beau se dépêcher, jamais il n'arrivait à temps. Après plusieurs jours, il décida de rentrer chez lui. Mais alors qu'il pagayait, les vagues se mirent soudain à grossir et une énorme orque apparut. À ce moment, un oiseau terrifiant surgit des nuages. Il était si grand que, pendant un moment, le ciel s'obscurcit. L'oiseau emporta l'orque dans ses serres. L'air passant dans ses plumes fit alors entendre un bruit de tonnerre.

Puis le plus puissant des oiseaux fondit sur le tout petit garçon. « Qui es-tu pour me suivre ainsi ? » demanda-t-il d'une voix tonitruante. « Es-tu le plus brave des Braves ? »

« N-N-Non », bégaya Petit Nez. « Je ne suis qu'un jeune Indien qui désire te sculpter. Je veux être sculpteur de totems. »

Soulevant gentiment Petit Nez et son canoë pour les ramener au village, l'oiseau dit alors : « Tu seras le plus grand des sculpteurs de totems, mais tu dois me faire une promesse. » Petit Nez acquiesça. « Il faudra toujours me représenter en haut de tes totems. » Le jeune garçon accepta avec joie et tint parole.

Index

Réponse

Page 2
Ces objets sont des pointes de lances en silex (une pierre).